# BUSTER'S CAT PAWETRY

## a book o' scottish feline verse

photos & design by the author

denise marinucci

2021

**ISBN: 978-1-8383731-7-7**

A copy of this book has been deposited with the British Library
and all other required UK & Irish libraries.

Enquiries: **busteronbute@gmail.com**
Printed in Scotland, UK on FSC certified paper

*The smallest feline is a masterpiece*

Leonardo da Vinci

*In loving memory of dear Jacopo,*
*a great cat lover who left us too soon*

*Ci hai lasciato troppo presto, Jacopo*

# table o' contents

# Glossary o' Scots & Busterisms

*Some words below are from the Scots language, others are purely Buster's unique Scottish vocabulary!*

***an*** – and

***bahookie*** – rear end

***didnae*** – didn't

***doesnae*** – doesn't

***dug*** – dog

***fae*** – from

***gonnae*** – going to, gonna

***hoom*** – human

***hoomin*** – human

***hoom's*** – human's

***hoose*** – house

***jes*** – just

***ma*** – my

***moose*** – mouse

***nae*** – no, not

***o'*** – of

***och*** – used to express a range of emotions or emphasis

***oor*** – our

***oot*** – out

***tae*** – to

***wannae*** – want to

***wasnae*** – wasn't

***wi*** – with

***ye*** – you

***yer*** – your

Handle
Do not drop

# limericks

## tha pooch o' scottish miss sukie

a lass by tha name o' miss sukie
was sat wi her dug she called mookie
och! he was a bitin
but i wasnae frightened
i hissed then i bit his bahookie*!

*backside, derrière

# ma belly

ma belly's a most special place
it's nae like ma head nae ma face
if yer thinkin o' pettin
ma teeth ye'll be gettin
so wear heavy mitts jes in case!

## buster, interrupted

whilst shoppin online one fine day
fer a boatload o' nip i did pay
fer tha vice i had lusted
an sadly got busted
ma credit card taken away

## up a tree

such worry i caused tae tha hoom
up tha tree i did fly wi a zoom!
but she wouldnae let me
she climbed up tae get me
an i spent a whole year in ma room!

## adopt don't shop - kittens

a kitten can tempt ye fer sure
fae the minute ye walk through tha door
wi her bat ears so pointy
she's all double jointy
an bounces her way 'cross tha floor

# adopt don't shop - older cats

an older cat's faithful an true
he knows what he's wantin fae you
no infantile silliness
crazed willynillyness
jes tha full royal treatment will do!

## nae such thing as a bad cat

we cats mostly try tae be good
but sometimes don't act as we should
capricious an' snooty
occasionally moody
perhaps we're just misunderstood?

cat haiku

# catnip

oh, most adored herb!
mice scampering in ma head
ouch! that was tha chair

## zoom groom

brushin is sublime
stroke ma superior fur!
hoomin slavery

# sky raisin

airborne tasty snack
och! foiled by tha hoomin's
speedy fly swatter

# cat naps

days are fer sleepin
silly hoomins go tae work
ha! felines rule!

# litter lament

och! indignity!
exiled tae a box, then
hoomins steal oor poo

homage tae...

# mr carl sandburg

## mog*

the mog comes
on little fat feet.

he sits droolin
o'er tha food bowl, this kitty
on giant haunches
an tha food is gone.

*inspired by 'fog' published, 1916

## mr joyce kilmer

### fleas*

i think that i shall never see
a creature as nasty as a flea

a bug whose hungry jaws are prest
against ma neck! ma legs! ma brest!

a thing that torments me all day
och! leave me be, oh flea, i pray!

this parasite! i cannae bear
him livin in ma fur, ma hair!

he makes his home on cats like me
but only satan can make a flea!

*inspired by 'trees' published, 1913

# mr gelett burgess

I never seen a purple moose*
an never hope tae meet one
cuz i'd sure hae a tummy ache
if ever I would eat one!

**mouse*

*inspired by 'the purple cow,' 1895, often attributed tae mr ogden nash

# mr theodore geisel

I am a cat
a cat I am
I like tae eat dried fish an' ham

I would eat 'em in a tree
I would eat 'em on tv

I would eat 'em on a chair
on tha ground and in tha air

in a box or on tha loose
jes tae honour dr seuss!

# mr marvel's wee mousetress

had we but 'nip enough an time,
oor lives together would be sublime.

och! tae loll in sun puddles, an then
wake up an stretch then sleep again.

but dearest puss, so cruel ma fate
that ye run free an I must wait.

ma love flows endless as tha Clyde tae sea,
but alas, ye've chosen tha one who's free

tae frolic an hunt fer a vole or a moose
whilst ma poor captive heart's
locked away in this hoose!

*inspired by 'to his coy mistress' published, 1681

# cats & hoomins

# tha cat food museum

we cats can be odd
when it comes tae oor food
but believe when I say that
it ain't cuz we're rude!

we love it one day
it's real yummy an tasty
but do heed ma warnin
an please don't be hasty

don't buy a lot even though
we hae ate it
cuz as soon as ye do
guaranteed that we'll hate it!

# hoomins

on two big paws go walkin
when four is more effective
och, silly hooms ye've lots tae learn
yer ways are so defective!

eatin is so complicated
sittin down an elevated
och! their habits, such a bore
get a dish! eat on the floor!

aye, hoomins are a quirky breed
they're really quite a laugh!
their tongues used jes fer talkin
don't they ever have a bath?

## feed me now

meow meow MEOW
it's 2 a.m.
hey hoomin
fill ma bowl again!

MEOW Meow MEOW
wake up you hoom!
i'm yowlin fae tha other room!

MEOW MEOW MEOW !!!
hear ma complaint!
if i don't eat
I'm sure tae faint!

## catpricious

cats are quite fickle
o' this there's nae doubt
we meow tae come in
when we wannae go oot!

if we want a this
we will ask for a that
it's all in oor handbook
jes ask any cat!

## cat hair

it's on the rug
tha sofa, too
it's on yer clothes
och! what tae do?
it's in tha sheets
it's in tha bed
it's on yer feet!
an on yer head!
there ain't no place
it doesnae cling
but still, ye'd never
change a thing!

# tae ma hoomin

ye wash ma bowl
ye fill it too
ye clean ma box
o' stinky poo
ye are my day
an yer my night
tha sun that shines
an moon so bright
yer every star i see above

ye are ma hoomin
ye are love

th' end

follow us @RothesayTownCat

**Instagram** weebuster

# In Memoriam

Wee Bijoux crossed
tha Rainbow Bridge in 2020
Oor pal Maria was her
hoomin fer 18 wonderful years
We loved her too

# MORE BOOKS FROM BUSTER

## *Wee Buster the Town Cat of Rothesay*

The touching tale of Buster's rescue
on the bonny Isle of Bute

*available on eBay for Charity & Google Play*

# COMING SOON

## *Buster & the Gondolier's Cat*

Buster Takes Venice by Storm!
Mystery, Food, and Adventure
on the Grand Canal!